W9-BMX-031

Exile Home
Exilio en la Patria

Lake Sagaris

Cormorant Books / Casa Canadá

Many of the poems in this book have already been published
in the following literary magazines in Canada, Chile and the
United States: La ciruela, *Minnesota Review*, Event Magazine,
*Contemporary Verse II, 1984 Anthology of Magazine Verse &
Yearbook of American Poetry, Canada Poetry Review, La gota
pura, This Magazine.*

Varios de los poemas aquí incluidos se publicaron por primera
vez en revistas literarias de Canadá, Chile y los Estados Unidos,
tales como *La ciruela, Minnesota Review, Event Magazine*, Contemporary Verse II, *1984 Anthology of Magazine Verse* and
Yearbook of American Poetry, Canada Poetry Review, *La gota
pura, This Magazine.*

Published with assistance from the Multiculturalism Directorate
of the Department of the Secretary of State.

Typeset in Ottawa by L.A.R. Typography Ltd.

Cover from a drawing by Wally Ballach, entitled "Nacer; Renacer."
Collection: Canada Council Art Bank

Printed and bound in Canada.

Published in Canada by Cormorant Books and Casa Canadá.

ISBN 0-920953-04-2

Many, many people's love and support and efforts went into this book. Some appear in the poems themselves; others are there, haunting the words. I would especially like to thank my compañero, Patricio Lanfranco; his son, Jaime Lautaro; Dr. Mario Vidal; my parents, Lois McClelland and Donald Batten; my grandparents, Agnes Spooner and Archibald Batten; Veronica Lacey, who began the difficult task of giving me not only the language but some essential taste for Spanish; Marion Coope, who taught me much more about literature than she realized; Donna Baines; Brian Mason; Kärin Olsen.

I would also like to thank the Ontario Arts Council for their support.

El amor, el apoyo, el esfuerzo de mucha gente son una parte esencial de este libro. Algunos aparecen en los poemas mismos; otros están allí, detrás de las palabras. Me gustaría agradecerles especialmente a mi compañero, Patricio Lanfranco; su hijo, Jaime Lautaro; mis padres, Lois McClelland y Donald Batten; mis abuelos, Agnes Spooner y Archibald Batten; Veronica Lacey, quien me inició en algunos de los misterios del español; Marion Coope, quien me enseñó mucho más de lo que seguramente pensaba de la literatura; Donna Baines; Brian Mason; Kärin Olsen.

También quisiera agradecerle su apoyo al Consejo de las Artes de Ontario.

ONE / UNO

Todos

Todos los discursos, lágrimas, peleas
Todos los viajes congelados
Todas las noches de ojos y preguntas
me han llevado a este momento
de amor

Todos los pinos desfilando por las cumbres
Todos los lagos tragados por glaciares
Todos los llanos ostentando trigo
me han llevado y me han dejado
aquí

Todos los ojos cariñosos que me besaron
Todos los codos tocando los míos en la lucha
Todas las rodillas dobladas sólo para asegurar
el verde estallido de semillas
me han mandado a esta lágrima
de tierra

Todas las manos humildes de este mundo
Todas las palabras de protesta y dolor
Todas las lenguas saboreando la esperanza
trabajan conmigo un arma apuntada
a la injusticia

Toda la tristeza, todo el hambre, toda la lluvia
rompiendo paredes de barro, techos de lata
Todos los cantos harapientos de los niños
pidiendo orgullo en las esquinas
me han clavado con una espada que tallará
las caras de la victoria

Todas las noches, el silencio sin nieve, el viento
un árbol saltando hacia la luz
Todos los días donde aprendía a sostener
sus manos heridas, su sangre en flor
forjaron de mi voz estas palabras
desnudas en la calle
al pueblo humilde de Chile
al amor

All

All the speeches, tears, battles
All the frozen voyages
All the nights of eyes and questions
have carried me to this moment
of love

All the pines parading across peaks
All the lakes swallowed by glaciers
All the plains bragging of their wheat
have brought me and put me down
here

All the loving eyes that kissed my face
All the elbows touching mine in the fight
All the knees bent low to plant and fuel
the seed's green surge
have sent me to this teardrop
of a country

All the rough hands of this world
All the cries of protest, silent grief
All the spontaneous tongues curled around a hope
forge with me a weapon aimed
at injustice

All the sadness, all the hunger, all the rain
breaking mud walls, piercing tin roofs
All the desperate songs of ragged children
begging for pride on city corners
have plunged a sword through me, will carve
the faces of victory

All the nights, the snowless silence and the wind
a tree bursting through to light
All the days I learned to hold
your blistered hands, flowering blood
wrought this declaration from my voice
naked in the street
to the humble people of Chile
to love

9

Tucapel Jiménez

1

Hace mucho tiempo se paró el corazón de la mañana
Hemos estado cargando el cadáver por la noche
y cayendo
por el peso de tanta muerte, tanta noche, tantas flores
desbordando el cementerio

Estamos cansados de estas flores
gritando como sangre en el pasto
gritando como vida en la guerra

(¿Quién sabe cuándo terminará
este cementerio viviente?
Aquı seguimos encontrando enterrados
los huesos del futuro)

Tucapel Jimenez

1

A long time ago
morning had a heart attack
We've been carrying the corpse thru the night
and falling
from the weight of so much night, so much death
so many flowers
pouring out of the cemetery

We're tired of those flowers
shouting like blood in the grass
shouting like life at war

(Who knows where this cemetery of life will end?
We keep finding buried
the future's bones)

2

Las noticias llegan en gotas
un homenaje de dos minutos
mientras se pesan las tunas en la Vega
me dice un amigo
"parece que ha muerto
un dirigente sindical"
y vuelvo al trabajo
lanzo los dedos contra las teclas
como si fueran balas
asesinando las palabras
dejando los cadáveres
en el pecho blanco del papel

Pero luego en la radio escucho
"Murió asesinado
Tucapel Jiménez"

y mis dedos se paralizan como globos
pegados al cielo
a punto de reventar
a punto de arrancarse
a punto de entrar en una oscuridad de tinta negra
que mancha todo

2

The news arrives in drops
a two minute tribute
while they weigh the prickly pears at the market
a friend says
"seems some union leader
has gone and died"

I return to work
throw my fingers at the keys
as if they were bullets
murdering the words
leaving their corpses scattered
on the page's white breast

But then on the radio I hear
"Tucapel Jimenez
was murdered today"

And my fingers freeze like balloons
glued to the sky
about to burst
about to run away
about to enter a darkness of black ink
that stains everything

3

¿Qué te podemos prometer, Tucapel Jiménez?
Ese mañana mejor, debía llegar ayer
Se atrasó como todo buen chileno.
Te encontró
en un vínculo con la muerte.

Y yo estaba en la próxima esquina
y mi hermana en otra
y mi compañero
mi amiga
mi padre y
mi hija

Hemos cortado nuestras voces
con la navaja del lamento
Hemos cavado surcos en las caras
con la lluvia del lamento
Hemos bailado con la muerte
de tanto lamento

Vamos a llenar las calles
con un lamento parado de cabeza
con un lamento que quema, que quiebra
las manos asesinas
que te envolvieron en la muerte

Encenderemos las lágrimas y las tiraremos
al asesino de la tierra, de un pueblo
de un hombre que predicaba paz
mientras el enemigo desenterraba trincheras
metrallas y mentiras
apuntando sus armas hacia mañana
—y nosotros parados en la trayectoria—

No se puede defender la vida, el viento
durmiendo con tierra en la cara.

3

What can we promise you, Tucapel Jimenez?
That improved tomorrow should have arrived
yesterday, but it was late
like all good Chileans
It found you
in a meeting with death

And I was on
the next corner
and my man
my woman friend
my father and
my daughter

We have cut our voices
on the sharp knife of lament
We've burrowed holes in our faces
with that rain.
We've danced with death
from so much lament.

We're going to fill the streets
with a cry turned upside down
a cry that burns, that breaks
the hands that wrapped you
in death

We're going to light our tears and throw them
at this killer of the earth, his people
another man proposing peace
while the enemy digs up trenches
rifles, machine guns and lies
aiming its weapons at tomorrow
—and us, standing in the the way

You can't defend the wind and life
sleeping with dirt on your face.

Carmen Gloria

La semilla negra de la bala
rompió la blanca tierra de tu piel
no te diste cuenta
cuando florecieron
tulipanes rojos en tu pecho

Las gotas de tu sangre salpicaron
las estrellas de la calle
las piedras mismas protestaron
cuando en tu garganta estalló
un grito de dolor

¿Cuántos amores perdidos
se juntan de nuevo en tu nombre?
En el trueno de protesta
te acostaste y nosotros
despertamos de tu sueño
vestidos de tu suerte

Levantamos la bandera de tu sangre
Regamos la flor roja de tu muerte
Corriendo juntos por las calles peligrosas
tu recuerdo afilado en la mano
nos preparamos
para degollar el miedo

Carmen Gloria fue asesinada en Valparaíso mientras participaba en la tercera
protesta nacional contra el régimen militar de Chile, el 12 de julio, 1983.

Carmen Gloria

The bullet's black seed
broke the white earth of your skin
You didn't notice
the red tulips
blooming on your breast

Your blood spattered
street stars
the stones themselves protested
when cries of pain
exploded in your throat

How many lost loves
meet again in your name?
In a thundering protest
you lay down
and we wake from your dream
dressed in your fate

We raise up your blood's flag
Water death's red bloom
Running together through perilous streets
your memory sharpened in our hands
we prepare ourselves
to cut fear's throat

---

* Carmen Gloria was murdered in Valparaiso while participating in the third
national protest against Chile's military regime, July 12, 1983.

La Espera

Leí hasta que las palabras se borraron
hojas muertas en una pradera de nieve
piedras vistas a través del vidrio verde de un pozo
silenciosas, lejanas, quietas

Me lavé los dientes, el pelo y la cara
como si el paño pudiera
borrar la tension de mi boca
las preguntas de los azules aves
enjaulados en el espejo

En la cocina miré por la ventana
como si estar allí, ojos revisando
cada persona por tu barba
tu forma de caminar, tu risa
pudiera traerte de regreso

Fui al living
limpié las ventanas
mugre, lágrimas, la cara de un niño
pies congelados en el asfalto
pide monedas

Si la espera sola pudiera devolverte
¿cuántas mujeres llorarían
de alegría?
¿cuántos ojos de piedra se cambiarían
en caras de hombre?
Por Uds. las fotos bajo el vidrio
la ausencia presente en tantos hogares
Hambrientos de hermanos y hermanas buscamos
sangre en los titulares coraje
en nosotros mismos para llenar
la copa insaciable de esta espera
con el vino tibio que les brindará
la bienvenida

Uds. nos pertenecen a todos ahora
y unos a otros nos pertenecemos

Waiting

I read 'til the words were endless ciphers
dead leaves in a snowbound field
stones thru the green glass water of a pond
Silent, distant, still

I brushed my teeth, my hair, scrubbed my face
as if the rough cloth could wipe
the tension from my mouth
the questions from the blue eyes
birds trapped in the bathroom mirror

In the kitchen I stared thru the window
as if my being there, my eyes searching
every passerby for your beard
your walk, your smile
could bring you home

I went to the living room
washed the windows clean of dirt
tear streaked dirt of a child's face
—street child
feet frozen to the asphalt, hand out for coins

If waiting alone could bring you home
how many women would be crying
with joy?
how many men's stone eyes would turn
to tears?
For you, the pictures under glass
the absence present in so many homes
We search the headlines for blood
the hungry for brothers and sisters
ourselves for the courage to continue
to fill this empty cup of waiting
with the warm wine
which will welcome you home

every one of you

You belong to all of us now
We belong to each other

Tallando

Ayer cayó
Así se dice aquí
como si la tierra se hubiera abierto
como si se tropezara
como si perdiera las alas en pleno vuelo

El, con su pelo de mora
     su cara de corazón

El, quien dijo que esos que se estremecen
     con cada golpe de asesino
     Esos que sufren el castigo diario
     de té amargo con pan seco
     Esos cuyos corazones estallan
     dejando balas y rosas rojas
     Los de los corazones encendidos
     tienen que tallar su cara de hielo

El, quien suspiró con placer cuando la punta de mi dedo
     siguió la sombra oscura de su pelo
     el lago negro de su pecho, un río de cabellos
     estirándose hacia el delta
     entre sus piernas

Cayó

Hombres le pegaron
ahora le están interrogando
ahora tirita en una celda húmeda
ahora grita por dolor, la corriente

Ahora está perdido, no lo encuentro
Estoy tallando mi cara en piedra
Estoy amasando el vientre, preparo pan
Pinto un cuadro, alguien espera
corre, habla, lucha alguien
envía un telegrama

Carving

He "fell" yesterday
That's how they say it here
as if the earth opened
as if he tripped
as if he were flying and his wings failed

He, with his blackberry hair
his heartshaped face

He, who said those who shudder
     at every assassin's blow
     Those who suffer the daily punishment
     of bitter tea, dry bread
     Those whose hearts break into
     bullets and red roses
     Those of us who yell
     instead of cry
     Those with the flaming hearts
     must carve their face in ice

He, who sighed with pleasure at a fingertip
     tracing the dark shadow of his hair
     a black lake on his chest feeding a curly river
     that stretched to the delta between his legs

he fell

The men beat him
now, they're asking questions.
now, he's shivering in a damp cell.
now, he's screaming as the electrodes do their
work.

Now he's lost, I can't find him
I'm carving my face from stone
I'm kneading my stomach for bread for him to eat
I'm painting a picture of someone waiting
someone running, someone talking
someone sending a telegram

Ahora por todo el mundo
hay ojos corazones manos
Estirándose hacia el hoyo
donde él cayó

Now there are hands and hearts and eyes
all across the world
Reaching into the dark hole
where he fell

Desde el margen

Grandes son las decisiones
guerras declaradas
armas nuevas descubiertas y botadas
con cada rasgón en la noche
admitiendo sol

Grandes son las decisiones
monto mis palabras en palillos
tejiendo calcetas y chalecos para hombres
Envuelven sus lágrimas en pañuelos blancos
mientras que se despiden
marchando

Grandes son las decisiones
Estoy fundiendo mis palabras
moldeándolas en bombas
lleno botellas las tapo con viejos trapos
encendidos por el sol

Grandes son las decisiones
Uds. piensan que las mujeres tenemos paciencia aún
pero les digo, endurecemos nuestros puños
borramos esas sonrisas pintaditas
Preparamos más que pasteles
en las cocinas husmeantes de nuestros ojos

From the sidelines

Great decisions are being made
wars declared
new weapons discovered and discarded
with every tear in the night
admitting sun

Great decisions are being made
and I am casting words on needles
knitting socks and sweaters for the men
who wrap their tears in handkerchiefs
and smile while they march
and wave goodbye

Great decisions are being made
I'm melting down my words
shaping them into bombs
pouring them into bottles stuffed with rags
ignited by the sun

Great decisions are being made:
you think we women are patient still
but I tell you, we're hardening our fists
we're painting off our smiles
we're preparing more than pies
in the steaming kitchen of our eyes

Cerca de Utopía Ayer

En algún momento, entre el último día de marzo y el primero de abril 1985, tres hombres fueron degollados como chanchos en el matadero. El lugar fue Chile. Estos poemas surgieron con esos muertos y continuaron con todos aquellos que murieron con ellos y se vieron forzados a seguir viviendo. A pesar de sus muertes. Por sus muertes.

Los nombres de los tres:

> Manuel Guerrero Ceballos
> José Manuel Parada
> Santiago Nattino

Cuando llega el momento
no preguntan si te gustaría
que te arranquen las
uñas   que te mantengan la cabeza
bajo el agua más de lo que aguantas
Que te ayuden a navegar las dudosas aguas
del hipnotizador   El es tan bueno
puede convencerte que el granizo
cicatrizando tu cara es realmente
la fresca luz del sol   Las rocas bajo tu
proa son delfines celebrando tu regreso
a puerto seguro

Cuando llega el momento ellos
no preguntan si te gustaría
que te abran una sonrisa ancha y
roja bajo tu boca ellos
irrumpen en una sala de escuela como
una pandilla barata de gansters
de Hollywood pero no dicen
nada casi te rompen
el cuello cuando te

26

Near Utopia Yesterday

At some moment, between the last day of March and the first day of April 1985, three men were slaughtered like pigs in a butcher's yard. The place was Chile. These poems began with those men and went on to embrace all those who died with them, but were forced to go on living. In spite of their deaths. Because of their deaths.

The three men's names:

Manuel Guerrero Ceballos
Jose Manuel Parada
Santiago Nattino

When the moment comes
they don't ask if you'd like
them to tear out your
finger nails hold your head
under water for longer than you can bear or
help you navigate the hazy waters
of the hypnotist   He's so good
he can convince you that hail
pockmarking your face is really
cool sunlight   The rocks under your
prow are dolphins celebrating your return
to a safe harbour

When the moment comes they
don't ask if you'd like
to have a wide red grin
cut beneath your smile they
erupt into a schoolroom like
any cheap set of hollywood
gangsters but they don't say
anything they almost
break your neck as they

27

sacan a la fuerza de tu
lugar y te llevan a un
terreno humilde más lejos de aquí
que la luna donde se
ríen mientras un hombre temblando
alza el cuchillo   recuerda días que no pasó
en una granja y repite
una y otra vez la misma
frase sólo está
cumpliendo
órdenes

Cuando llega el momento ellos
no son ellos sino una voz extranjera
te hace unas preguntas para las
noticias de las seis o una bomba
lacrimógena estalla en tu living o te
pedimos que tomes una punta
del lienzo que llevamos o
que tires un puñado de palomas
al aire   con gracia
vuelan en las corrientes
sobre nuestras cabezas y la gente
se esfuerza para decifrar las líneas negras
rayadas en sus pechos
"democracia ahora"
"por la vida"
"asesino"
"tú"
. . .

drag you from your own
familiar place and out to a
a humble field further from here
than the moon where they
laugh as a man with a trembling
knife remembers days not spent
on a farm and repeats to
himself over and over the
same phrase about
only following
orders

When the moment comes they
aren't they but a foreign voice
asks you to answer a few questions for the
six o'clock news or
a tear gas canister lands
in your living
room or we ask you to
hold one end of
a banner and march or
throw a handful of palomas
into the air gracefully
they ride the currents
over our heads and people
squint to read black lines
scrawled on their breasts
"democracy now"
"for life"
"murder"
"you"
. .

estás implicado porque tú también
has pensado a veces que las cosas
no andan bien y has querido
decir algo pero estás consciente
de los peligros múltiples que nos acosan te
mantienes al margen de las manifestaciones
(si lo encuentras) y cuando las fuerzas especiales
atacan les ofreces una sonrisa de tarjeta de crédito significa
que por casualidad pasabas por aquí cuando esta muchedumbre
enfadada empezó a aplaudir y gritar y tú
tienes el instinto infalible del
coro humano y tu voz flotó hasta
la superficie donde se puso a
cantar   y bailar es la mejor
forma de celebrar la caída
de este régimen que
se niega a caer y
frunces el ceño
cuando ellos
agarran tu
brazo
para
ir
a

are implicated because you too
have thought at times that things
aren't going as well as they should
and you have wanted to complain but you
are aware of the multiple sliding dangers that dog
our steps   stand at the sidelines at demonstrations
(if you can find them) and when the riot police charge
you flash a credit card smile to mean that you
just happened to be passing when this angry
mob started to clap and shout and you
have the unfailing instincts of the
human choir and your voice rose
to the surface and burst into
song and dance is the best
way to celebrate the fall
of this regime that
refuses to fall
and you frown
when they
clutch
your
arm
to

A la hija por nacer de Manuel Guerrero Ceballos

Nacida de una roca
ella será
tan cálida como ese flojo
camaleón del sol estival el
musgo gris que cruje seco
como el granito que
derrotó al
vivir de la roca

Nacida de una roca
ella será
tan fría como el agua profunda   Los ojos
de un hombre que tortura
Los peces se deslizan delgadamente
entre las sedosas hojas de hielo
Conocerá a su padre como
mármol grabado y escondido
por las flores
color de sangre

Nacida de una roca
ella quemará
la roca líquida en sus venas teñirá
su risa nueva
cuando juegue
con los conejos mullidos y los osos regalones
los camiones y los patrulleros
de policía que son
ladrones

Nacida de una roca
se moverá
con el peso fatal de una mano
levantada   antes que la concibieran
arrojada sin piedad   silbando
hacia la justicia   orientada
por la tranquila disciplina
de la vida de su padre
muerto
. . .

For the Unborn Daughter
of Manuel Guerrero Ceballos

Born of a stone
she will be
warm as the lizard-lazy
summer sunshine the
crackly dried moss grey
as the granite it
once defeated by
living on rock

Born of a stone
she will be
cold as deep water   The eyes
of a man who tortures
Fish slide slenderly
through silken iceblades
She will know her father
as marble engraved and
hidden by blood
red flowers

Born of a stone
she'll burn
liquid rock pour through
her veins and stain
her new laughter
as she plays with the
fluffy rabbits and huggly bears
the dump trucks and patrol cars
of cops who are
robbers

Born of a stone
she'll move
with the fatal weight of
a hand drawn back
before she was even conceived

Partida como una roca
ella brotará
una cascada de dulzura
fresca   llevando su risa
y la tuya y la mía
sobre la sangre y el vidrio
quebrado   las esquinas
tiznadas   los cables
chispeantes   Dejando atrás
los uniformes mecánicos   las botas
que marchan   Más allá de las nubes
llorando y los aires
servidos de los carros lanza-agua

hasta
        la ciudad que baila

flung by a pitiless pitcher
hurtling toward revenge
aimed by the quiet discipline
of her dead father's
life

Split like a rock
she'll burst forth
a cascade of sweet
cool carrying her
laughter and yours and mine
over the blood and broken glass
charcoal smeared crossroads and
sparking wires   Past the marching
boots and clockwork uniforms
Over the crying clouds and
airborn sewers of the watercannon

into
    the dancing city

Estela Ortiz

La noche ahoga la morgue
en un abrazo apretado nosotros
en la entrada a la tumba
esperamos resurrección
El portero es
sólo un mensajero
Los nombres son
tuyos míos y
nuestros   Tus llantos

Los culpables esconden sus cabezas
en la cáscara hueca del
uniforme   Tus lágrimas dejan
manchas rojas en sus verdes pieles
Los pies de luto marchan
reclaman las calles   Su cara
ha florecido en las ramas más altas
En las manos de niños   en nuestra piel
pálida y persistente   estirada por
su sonrisa   Tus gritos

En la noche secuestran a la luna
y tratan de matarla
pálida más pálida   Sólo una trenza
de estrellas la guía hacia
mañana   Podría llamarse
Carmen Andrea   o Peggy   o

Estela

habla   Su voz
tiene la fuerza constante
de olas golpeando la playa
una y otra vez
Sus lágrimas golpean
la piedra una y

Estela Ortiz

Night smothers the morgue
in a tight embrace we
wait at the tomb's door
hoping for resurrection
The doorman is
only a messsenger
the names are
yours and mine and
ours   Your cries

The guilty draw their heads
inside the cold shells of
their uniforms   Your tears leave
red stains on their green skins
The mourners' marching feet
reclaim the streets   His face
has bloomed on trees' high branches
In children's hands   On our pale
persistent skin stretched by
his smile   Your cries

At night they kidnap the moon
and try to kill her
paler and paler   Only the long
plaited stars guide her to
morning   She could be called
Carmen Andrea   or Peggy   or

Estela

is talking   Her voice
has the steady thrust of
waves hitting the beach
again and again
Her tears hit
the stone over and

otra vez   Sobre nuestras cabezas
gruñen los helicópteros   Amenazan
truenos   y relámpagos
se encienden entre sus palabras
Estela Ortiz
viuda de Parada
mujer que desmayándose
declara la vida
contra la guerra

over our heads growling
helicopters threaten
thunder and lightning
flashes between her words
Estela Ortiz
widow of Parada
fainting woman
declaring life
on war

Roberto Parada

El bastón fue siempre
una tercera pierna reemplazando
lo que falta   ahora
su hijo se ha deslizado entre
las frágiles moléculas de madera
Su pelo se enreda
en los dedos del viejo   una vez
el bastón representó la vanidad
pero ahora es sólo lo esencial
El deja caer todo su peso
en el antiguo árbol
cuando habla
su voz de actor recuerda
Neruda, Sócrates y la razón
persigue las catedrales vacías del aire
lanzando su corazón hacia
    los cámaras, autos, micrófonos que acusan quedamente
    los vendedores de recetas refrescantes contra el sol
    las cúspides que se alzan (esperan) hasta el cielo
    los buses verdes, trincheras puestas al revés
    el sistema crujiente que nos regala el sonido
    los carteles protegiendo miradas de soslayo
    los niños gimiendo en búsqueda de sombra
    los pájaros su himno a la vida sin censura
    los helicópteros golpeando contra el cielo
    los guardias con sus garrotes listos
    la alfombra viva de caras de duelo
Acentúa su grito por justicia con el bastón
arrojándolo sobre el ataúd un desafío destinado
a estrellarse a través de las ventanas del mundo
en un millón de ojos cautelosos

Roberto Parada

The cane was always
a third leg replacing
that which falters now
his son has slipped between
the fragile molecules of wood
His hair twines around
the old man's fingers
clutching   the cane
was once a vanity
but now it is
all that is essential
he leans heavily
on that once sturdy tree
when he speaks
his actor's voice recalls
Neruda, Socrates and reason
haunts the hollow cathedrals of the air
carrying his heart over
the vendors with their cool prescriptions for the heat
the club-burdened guards who defend Him from His Deeds
the children crying for shady protection from the sun
the church's steeples pointing (they hope) to heaven
the crackling system designed to bring us sound
the cameras, cars and quietly accusing mics
the green buses, trenches turned inside out
the whirlybirds' beating against the sky
the songbirds' uncensored hymn to life
the placards protecting squinting eyes
the living carpet of mourning heads
he punctuates his cry for justice with the cane
flinging it over the coffin like a challenge
sent to crash through the world's windows
into a million wary watching eyes.

Manuel Guerrero Hijo

Delgado tallo de muchacho mientras otros
serpentean entre los modismos juveniles
estrellan autos contra su propia futuro
y se van caminando o yacen yertos
en la traición de su propia sangre derramada
              tú
estás devorado por las cámaras y micrófonos hambrientos
tienes que hacer las paces con la segunda esposa de tu padre
deberías llenar sus zapatos vacíos con tus pies
cantas tu rabia eléctrica como alambre
estirado entre las distintas muertes de tu padre
proyectando la imagen vibrante de su vida

En el espejo alguien contó un chiste
te frunciste y capturaste
su risa temblorosa   en el sol

Manuel Guerrero, Junior

Slender stalk of a boy while others
wind their way through youth's special slang
crash fast cars into their own future
walk away or lie
in their own spilled blood's betrayal
you
are devoured by cameras and hungry mics
must make peace with your father's second wife
should place your feet squarely inside his shoes
sing with electric anger like a wire
stretched between your father's different deaths
projecting the vibrant image of his life

In the mirror someone told a joke
you frowned
and caught his laughter trembling in the sun

Los Funerales

Los cristales chispeantes de la risa
se han derretido y son
agua   absorbida por las bocas
abismales de la tierra   fluyendo
por canales subterráneos evaden
nuestros intentos persistentes de crear
pozos   forman ríos   lagos
y océanos   bajo nuestros
cansados pies

Nuestras manos
son arados dolorosos empujando
tierra y piedra   Abren un surco
en nuestras frentes   Los muertos caen
por la piel hacia el
recuerdo   Nuestras manos contienen
piedras   son amarradas   contienen
otras manos   y los gritos
brotan como *stigmata*

me pregunto   quién soy   llorando

Nuestros pies
se aferran en la tierra   Sólo
el sol caliente puede quemar
el dolor de nuestros
corazones   llevarlo
a la piel   Donde
lo refrescamos con nuestras
lágrimas   dulce   salada
agua

llegada desde más lejos
que los pies alcanzan

The Funerals

Laughter's sparkling crystals
have melted into
water   absorbed by the earth's
hungry mouths   flowing
along subterranean channels it
evades our persistent attempts at
wells and forms rivers, lakes
and oceans beneath our
plodding feet

Our hands
are painful plows pushing
through earth and stone   Opening a furrow
in our brows   The dead fall
through our foreheads into
memory   Our hands hold
stones are bound   hold
other hands   and cries
break through them like stigmata

I wonder   who I am   grieving

Our feet
cling to this earth   Only
the hot sun can burn the
pain out of our
hearts into
our skin   There
we cool it with our
tears sweet salty
water

come from further than
our feet can reach

La Periodista

Me han lanzado como piedra
contra los garrotes
el micrófono un débil escudo
mis brazos tomados en los puños de otros
mis pensamientos volando hacia adelante para soltar
la última bomba en sus
tanques y fusiles

He caminado cabizbaja
demasiado cerca de los que marchan   He
escuchado sus pensamientos demorándose
en el desayuno, el resfrío del chico, la última vez
que me besó, el ataúd cerrado, la sombra de árboles
en la morgue una noche

He huído con las víctimas lo suficiente
para sentir el garrote derrumbando
mi cráneo, y probar el hoyo sangriento
donde una vez mordió un diente
o latió un corazón

He dejado correr las manos sobre las cacerolas vacías
imaginando como golpearía sus costados
hasta que el trueno barra las calles
libere mi voz de su inmóvil capullo
para encumbrarse con otras
sobre la ciudad embatallada

He volado demasiado cerca del sol
confieso
lo haría
una   y otra   y otra vez

The Journalist

I have been flung stonelike
against their clubs
my microphone a useless shield
my arms gripped in others' fists
my thoughts flying forward to drop
the ultimate bombshell on their
tanks and guns

I have walked head bowed
too close to the marchers I've
heard their thoughts lingering over
breakfast, the baby's sniffles, the last time
he kissed me, the closed coffin, the trees'
shadows outside the morgue one night

I have fled with the victims
often enough to feel the club collapsing
my skull, taste the bloody hole where a
tooth once bit, or a heart
once beat

I have let my hands linger on the empty saucepans
imagined drumming their empty sides until thunder
swept the streets, loosed my voice from its still cocoon
and let it soar with the others
over the battling city

I have flown too close to the sun
I confess
I would do it
again and again and again

Cerca de Utopía Ayer

un auto fue arrojado
implacablemente lejos
de la carretera   ejecutó
una perfecta doble
vuelta de carnero   y se paró
muerto   al revés
contra un árbol
asustado fuera de sus
raíces   Mi amor

y yo y otros
teníamos todo apostado en ese auto y
a diferencia de Humpty Dumpty no se
estrelló   Sólo se torció derramó
un mar de sangre y el silencio
invitó a las sirenas
chillantes   a acercarse

Podemos dar vuelta
a ese auto pero este viaje
no seguirá sin nosotros
Se necesitan algunas reparaciones
espaldas fornidas   unas tuercas locas y
bencina   un estanque lleno
de canciones   un pasaje de ida y vuelta
al futuro

No hay seguro
para esto que emprendemos   nuestras
vidas entrelazadas agolpándonos en las calles quemadas
calzando los cuchillos botas tanques
con zancadas desnudas piedras manos tercas

Estos son los mismos sueños
las abolladuras sacadas a golpes, el óxido
tapado con alquitrán   De alguna manera ésta
es la misma ciudad donde antes
empezamos

Near Utopia Yesterday

a car was flung
relentlessly from the
highway   executed
a perfect double
flip and stopped
dead
upside down
against a tree
frightened out of its
roots   My love

and I and others
had everything on that car and
unlike Humpty Dumpty it never
shattered   Just twisted spillt
a sea of blood and silence
invited the screaming sirens to come closer

We can right
that car but our journey won't
carry on without us
It will take some repairs
stout backs   a few nuts and
gas   a tank full
of songs   a round trip ticket
to the future

There's no insurance
for what we've
embarked on
lives linked and thronging the sunburnt streets
matching knives and tires and tanks
with barefoot strides and stones and stubborn hands

These are the same dreams
the kinks bashed out of them, the rust
plugged with tar   This is somehow
the same city where we
began before

Ese auto derribado
cerca de Utopía ayer
nos enseñó el color de la sangre
pero no pudo contenernos
Nos hemos dispersado
corrido con el agua
volado con semillas
Somos inocuos
como la brocha con pintura fresca
hasta que raye
el futuro en el muro

That car
overturned
near Utopia yesterday
taught us the colour of blood but
couldn't hold us
We've dispersed
run with water
flown with seeds
We are harmless
as bristles fresh with paint
until they've described
the writing on the wall

TWO / DOS

Fragmentos: ¿Cómo es la vida en Chile?

1

Como sueñan los adultos juegan los niños
yendo de un juguete al próximo
—la pelota rueda al dormitorio
miras la pared, la sigues con tus ojos al piso
un camión te lleva
al norte, lejos, lejos, un país que nunca has visto
Si un glaciar visitara el paraíso
allí encontrarías
mi Canadá

2

La Oxford Anthology of Canadian Literature
y la Antología de Literatura Latinoamericana
se rozan al lado de la cama
en el baño nos damos empellones
riendo en dos lenguas
que se mezclan como música

Fragments: How is life in Chile?

1

Children play as adults dream
move from one toy to the next
—the ball rolls into the bedroom
on the bed a story that must be read
you look at the wall, follow it to the floor
a truck carries you away
to the far north, a country you've never seen
If paradise were visited by a glacier
There you would find
my Canada

2

The Oxford Anthology of Canadian Literature
and the Antología de Literatura Latinoamericana
rub noses beside the bed
in the bathroom we jostle elbows
and compete for a space at the sink
laughing in two languages
which mingle like music

3

A veces me cansan estas imágenes

las metáforas torcidas
desenredándose de una bala
pavimentando el aire
con la muerte

las páginas dadas vueltas revelan
un cadáver desnudo
sangrando entre líneas

las flores marchitándose en las tumbas
llorando en el pasto
testigos silenciosos de una protesta
interminable

cierro los ojos y busco
el final de este verano eterno
de polvo fundido, rabia de carbón, viento
de pólvora y carne humana
chisporroteando en playas eléctricas

aún puedo tocar los pelos negros
fluyendo por tu vientre
pensando sólo en nadar por sus profundidades
sabor a miel

3

Sometimes I tire of all those images.

The twisted metaphors
untangled from a bullet
paving the air with death

The pages turned reveal
a corpse, naked and
bleeding between the lines

The flowers withering on graves
sobbing in grass
silent witnesses to a protest
without end

I close my eyes and try to find
the end of this eternal summer
of molten dust, charcoal anger, gunpowder
wind and human flesh
sizzling on electric beaches

How can I touch the black hairs
flowing across your belly
think only of swimming in their depths
the taste of honey?

4

Este no es el país donde se hacen las jugueras
ni el amor, ni lavadoras, ni la esperanza
son todas importadas
La deuda externa es enorme

    Alcohólicos hemos llorado sensibleros
    a los barmanes que suben las tasas de interés
    culebras encantadas por flautas
    extranjeras

¿A quién hace bailar el flautista ahora?
Escuchamos rock'n'roll y disco
Afuera el mundo se frena de repente
volamos por el parabrisas
Agarramos los diamantes en el aire
y terminamos en sangre y vidrio quebrado

    ¿pero dónde está el tramposo
    que nos condujo a la muerte?
    Está recibiendo un trasplante de su cara
    para volver a la pantalla
    —América Latina—
    sueño de un actor desteñido

4

This is not the country
where the blenders are made
nor love, nor washing machines, nor hope
they're all imported
The foreign debtload is enormous

      Alcoholics we've cried maudlin tears
      to bartenders who raise the snakes
      of interest rates, charmed by foreign
      flutes

who's dancing to the piper now?
We're listening to rock and roll and disco
Outside the world brakes to a sudden stop
We fly through the windshield
snatch greedily at diamonds in the air
and terminate in blood and broken glass

      But where's the trickster
      who drove us to death?

      He's having a face transplant
      so he can return to the screen
      —Latin America—
      a faded actor's dream

5

En este país, no hay necesidad
de suicidarse
la muerte maneja autos rápidos
secuestra sueños, ahoga el mundo
en una máscara de nylon, puños de plomo arrancan caras
y el amor
clandestino se esconde en tus ojos
mirándome con ternura
y temor

5

In this country there's no need
to commit suicide
death drives fast cars
kidnaps thoughts, smothers the world
in a nylon mask, leaden fists tear faces off
and love
hides underground in your eyes
watching me with tenderness
and fear

Noche

La noche con su negro pelo chileno
  pestañas mapuches guardando
    las estrellas de los ojos

La noche camina sola una mujer
  por las calles vacías
    buscando una cama de concreto
    almohada de basura

La noche gime desierta
  pide limosnas a los perros
    abre la mano para recibir
    una moneda de luna
      beso eterno de alquitrán

Night

Night's black Chilean hair
   Mapuche eyelash guards
      stars of eyes

Night walks a lonely woman
   through empty streets
   seeking a concrete bed
      garbage pillow

Night moans desolate
   begs from dogs
   hand open to receive
      coin of moon
         kiss of tar

---

* *The Mapuche are Native people of the south of Chile. For three hundred years they successfully fought off the Spanish invaders, creating some of the first examples of guerilla warfare. They never surrendered.*

Farol

Globo blanco
colgado de la noche
detrás
la luna
caras
traen la calle
a mi puerta
pálidas, borrosas barbas
y niños
nacidos del hambre
madres, bebés
semillas de lo que somos
o íbamos a ser

Bajo el farol
cambian
té, pan en vida
caracoles aferrados
a las superficies más duras
de la ciudad

En las plazas monumentos
a soldados de piedras
galopando siempre o con perros
Las muertes heroicas se celebran
Las vidas heroicas se prenden
se apagan
bajo los faroles

Streetlight

White balloon
hung from the sky
behind
the moon
faces
bring the street
to my door
pale, blurred beards
and children
hunger born
mothers, babes
seeds of what we are
were meant to be

Under the light
they change
bread and tea to life
clinging like snails
to the city's hardest surface

In the squares, monuments
to stone soldiers always
galloping or with dogs
They celebrate heroic deaths
Heroic lives flare up
are quenched
under the streetlights

La mañana

La mañana, roja como un pucho
  botada por la noche y olvidada
  enciende el pasto y las nubes

La mañana, perseguida por los cerros
  subiendo y bajando escaleras
  corre tras los gritos de los pájaros

La mañana, lluvia y de repente
  un golpe claro contra las puertas más oscuras

La mañana llega gritando a soltar
  la luz encarcelada
  en una ampolleta agotada

Morning

Morning, red as a cigarette butt
    dropped by night and forgotten
    igniting grass and clouds

Morning, chased through hills
    running up and down stairs
    after the birds' cries

Morning, rain and sudden a clear knock
    against the darkest doors

Morning, shouting to free
    the light imprisoned
    in an exhausted bulb

Visión Doble

La escarcha planta una semilla helada
en la carne cansada del pie desnudo
Los dedos congelados de raíces
vacían venas
La fría hiedra agarra trepa
Balas de hielo acribillan
nuestras harapientas barricadas

Iba pasando en una micro cuando
en el Parque Forestal las vi
ese parque de terciopelo verde
árboles suntuosos, gozadores
ostentándose en el último sol estival

En el parque donde de agua y luz nacen
diamantes calurosos de hermosura
columpiándose en las ramas y viajando
en el barco elegante de la fuente

    Dos criaturas
    de hueso y mugre
    buscando en la basura
    un fragmento de pan   vida
    las rechaza

    Apenas humanas
    ni blancas, ni negras, ni morenas
    El pigmento prestado
    por el polvo de la calle

    Las piernas dos postes
    del cerco más pobre
    rayado en la noche
    por la mugre y la muerte

En el bus alguien gritó entusiasmado

Double Vision

Frost plants an icy seed
in barefoot's tired flesh
Roots' frozen fingers
empty veins
Cold ivy clutches climbs
Ice bullets breach
our ragged barricades

I was just passing when from a bus I saw
them   in the treelined Parque Forestal
Park of green velvet
luxury trees that brag and taste
the last summer sun

In the park where water and light give birth
to hot diamonds that swing and skid
across the fountain's waves

Two creatures
of bone and dirt
search the garbage
for bread   life
rejects them

Hardly human
neither white, nor black, nor brown
Their dusty pigment on loan
from the street

Their legs posts
from a cheap fence
At night dirt and death
scrawl across them

In the bus, someone exclaims with pleasure

¡qué lindo se ve el parque!

En el río Mapocho el río de barro
que corre agachado por Santiago
las ratas comen mejor
que esas dos figuras truncadas
ramas esqueléticas rasgando la tierra
de este país humillado

The park's beautiful today!

    In the River Mapocho, river of mud
running hunched over through Santiago
rats eat better
than those truncated figures
skeletal branches scratch the earth
of this humiliated country

Diferencias

Una vez preparé ensalada de apio y
algo—mezclado con aceite, limón, sal, el agua
de la bolsa   Llegaste
estallaste y quedamos
sentados en la misma mesa
tú, en tu país
yo, en el mío
sin poder explicar

    Pero en la noche exploramos
    la tierra mojada
    semillas de tocar y ser tocada
    plantada en lenguas, dedos

    la noche oscura de tu pelo
    estrellas en mi boca
    un barco blanco tu piel
    una canción de olas y rizos
    rebosando mis palmas

Una vez, en el aeropuerto esperando
inglés tranquilo en mi boca, tú
me besaste con un dudoso subjuntivo

    En la noche abrimos
    palabras, fronteras, ventanas
    vibraba el sol
    en las curvas de piernas
    una tormenta de viento y anhelo
    bosques y llamaradas

Una vez, desapareciste, mi último beso
se destiñó en tus labios   Manos de madera
te aplastaron   dientes eléctricos
te mordieron   Fríos dedos afilados
raparon las mejillas que
solía visitar, buscando jugo de mora

Differences

Once I made a salad of celery and
something—mixed with oil, lemon, salt, the water
from the pack   You arrived
exploded and we froze
seated at the same table
you, in your country
me, in mine
unable to explain

    But at night we explored
    the wet earth
    seeds of touch and being touched
    planted in fingers, tongues

    your hair's dark night
    stars in my mouth
    a white boat your skin
    a song of waves and curls
    spilled from my palms

Once, at the airport waiting
English steady in my mouth, you
kissed me in the dubious subjunctive

    At night we opened
    words, borders, windows
    vibrant the sun
    on legs' curves
    a storm of wind and longing set
    forests aflame

Once, you disappeared, my last kiss
faded on your lips   Hands of wood
crushed you, electric teeth
chewed your flesh   Cold, sharp
fingers sheared the cheeks I
used to visit, looking for blackberry juice

Encontré un extraño en la casa de tu madre
tuvo que decirme
él era tú

    El miedo, el dolor tejieron nuestros cuerpos
    el agua borró cicatrices
    los días de ensaladas, perdí
    hallaste, cruzamos
    un puente húmedo de carne
    tu sangre en mis venas
    mi sonrisa   tu lengua

I found a stranger at your mother's house
she had to tell me
he was you

    Fear and pain knit our bodies
    bathwater erasing scars
    the salad days,   I lost
    you found we crossed
    a damp bridge of flesh,
    your blood in my veins
    my smile   your tongue

Amor mío

Dos palabras
palomas vuelan
desde mi boca
hacia tus besos

Dos manos
blancas alas
descansando en tu pelo
oscuro y profundo

Dos lenguas
peces tiemblan en la catarata
de una risa cristalina
piernas, luces, gritos
buscando por las sombras de tu piel
esa piedra de sol
esa cara blanca de estrellas
esa mirada tuya
tranquila y sencilla
ojos pardos
de tierra

My love

Two words
doves fly
from my mouth
to your kiss

Two hands
white wings
rest on your hair
dark and profound

Two tongues
fish tremble in the cataract
of crystal laughter
legs, lights, cries
search through the shadows of your skin
for that stone of sun
white face of stars
a look of yours
calm, simple
brown eyes
of earth

Sólo desnuda

te puedo alcanzar
mis miembros lamiendo tu piel
llamaradas saltan de mi lengua
prenden el óleo negro
de tu pelo   el incienso
exhalado

Sólo desnuda
susurra la piel
ruge el corazón
el sol estalla
y gritos
irrumpen de la carne
como lava
dejan
cenizas ardientes

La gran marea

de la pasión
recogida por la luna fresca

yazgo blanca como arena de noche
siento cada grano hurgarse
unirse nuevamente en la carne

Saltado, inundado, quemado hasta extinguirse
registras
este paisaje sin rasgos
peinas los rizos oxidados

encuentras la lámpara tranquila
virtiendo una luz bordeada de azul
por la boca abismada de la noche

llena el amanecer

Only Naked

can I come to you
limbs licking your skin
flames dart from my tongue
ignite the black oil
of your hair
incense exhaled

Only naked
does the skin whisper
heart roar
sun explode
and screams
erupt from flesh
like lava
they leave
smouldering ashes

Passion's

great tide
gathered by the cool moon

I lie white as nightsand
feel each grain stir
and settle into flesh

Flamed, flooded, burnt out
you search
this blank landscape
comb the rusty curls

and find the lamp
calmly pouring blue-edged light
through night's gaping mouth

into dawn

La Amante

Cuando las bombas
apagan las estrellas
tengo sólo
el sabor de ti
en mi lengua   Tu sonido
altas notas dulces
invadiendo mis nervios
Tengo sólo
tu pelo   creciendo como
el mío   suave enroscándose
oscuramente entre mis
dedos   Tengo
sólo tu músculo
empuñado por el
mío   nervios alfileres candentes
la sensación espinosa
de tu vida deslizándose
dentro y fuera de la mía

Cuando las bombas
apagan las estrellas
Lanzo piedras
pesadas, afiladas como el amor
contra los invasores
hago saltar las llamaradas
un santuario en el pavimiento
Recojo ramas, postes y
rocas construyendo
el único hogar que puede resistir
éste y cualquier otro
terremoto

The Lover

When the bombs
black out the stars
I have only
the taste of you on
my tongue   The sound of you
sweet piercing notes
invading my nerves
I have only
your hair growing like
my own   Soft and curling
darkly round my fingers   I have
only your muscle
firmly gripped by
mine   Nerves bright pins
the prickly sensation
of your life sliding
in and out of mine

When the bombs
black out the stars
I fling stones
heavy, sharp as love
against the invaders
cause fires to blaze
shrinelike on the pavement
Gather branches, posts and
rocks building the only home
that will withstand
this and every other earthquake

Nueve Meses

Pusimos
carne sobre sangre sobre
nervio sobre risa y la
memoria creció entre
las grietas   sus tallos
frágiles enredándose en
tu boca
sol mío

Nubes de carne se anidaron
en nuestros simples
huesos   creciste
entre nosotros algo a
frotar   discutir
superar   te rodeamos y tu padre
extendió un largo puente entre los
cerros lisos de tu
redonda vida y me abrí
para tomarlo y los tres
quedamos a la deriva en una
tormenta fogosa   mástiles
quebrados   velas andrajosas y
así fue como
aprendiste a amar
el mar mi
marinero de
cielos

Nine Months

We lay
flesh on blood on
nerve on smile and
memory grew through
cracks   Its fragile
stems curling around
your mouth
my sun

Clouds of flesh caught
on our simple resilient
bones and you
grew between us something
to rub and talk to get
over and around and
your father stretched
a long bridge across the
smooth hills of your
round life and I opened
and took him in and we
were three adrift in a
blazing storm   masts
broken   sails ripped and
that was how
you learned to
love the sea my
sky sailor

Sunshine

Cuando llegó tu momento
algo te lanzó
hacia un pozo de círculos
concéntricos   te hundiste
entre los músculos apretados
la presión de los dedos
de tu padre   en las raíces
de mi columna

Tu cabeza se asomó
redonda y lisa como una
piedra del océano   Tu
carne celestial se tiñó
de todos los colores del arcoiris

Sonido brotó de tu boca
una vez más yo fui yo
tu papá él
tú te hiciste tú
y fuimos los tres

animales
íntegros

Sunshine

When your moment came
something tossed you
into a pool of concentric
circles you plunged down
through tightened muscles
the pressure of your father's fingers
on the roots of my spine

Your head emerged
round and smooth as an
ocean pebble   Your
sky flesh flushed its way
through the rainbow

Sound gushed from your mouth
once again I was me
your father him
you became you
and we   three

wholly animals

Padres

Hay padres que llegan todas las noches
en el metro—las madres
corren sonriendo a encontrarlos

Hay padres que duermen
en una cama de tierra y errores
—las pequeñas traiciones fatales—
sus hijos
los echan de menos
los buscan
en cada sonrisa pegada a una foto
en cada lío en la escuela
en cada flor que tapa una tumba

También hay padres que llegan
una o dos veces pero se van sin conocer
la persona escondida
en esa infancia animal

y luego hay padres como el tuyo
que llegan una vez a la semana
o dos veces cada mes
o más
o menos

Corres riendo hacia él
la sonrisa volando hacia él
brazos, ojos, rodillas brillando hacia él

Y él te busca en un camión de juguete
guardado entre visitas
en la pelota
rebotando por pasillos
calles, esteros
donde se bañaron juntos
y luego partieron
él a su casa
tú a la de tu madre

Fathers

There are fathers who arrive every night
in the subway—mothers
run smiling to meet them

There are fathers who sleep
in beds of earth and errors
—small, fatal betrayals—
their children
miss them
search for them
in every smile glued to a photo
in every fight at school
in every flower covering a grave

There are fathers who arrive
once or twice but leave without knowing
the person hidden
in that animal childhood

and there are fathers like yours
who arrive once a week
or twice a month
or more
or less

You run laughing to hug him
your smile flying toward him
arms eyes knees shining toward him

And he looks for you in a toy truck
kept between visits
in a ball
bouncing down hallways
along streets, into streams
where you both bathed together
then parted
he to his home
you to your mother's

Hay padres
que siempre vienen llegando
lágrimas humedeciendo sus bolsillos
la pequeña sombra de la palma de un niño
grabada en la cuna de sus puños

There are fathers
always just arriving
tears dampening their pockets
small shadow of a child's palm
engraved in the cradle of their fists

Sabios

Suena el teléfono. Preguntas
si soy tu madre.

Niño con tus preguntas de agujas
probando la carne
encuentras el hueso
duro, sientes como sufre
en su cárcel
de articulaciones
Cruzas un ancho lago de sangre
en tu pequeño barco a vela
buscando el viento

Ya conoces el mundo
de los tres ositos
El Gran Papá
La Mediana Mamá
Y el Pequeño Bebé
Buscas en las hojas de los cuentos
los sueños que serán verdad un día
Esperas que la mano de tu vida
tome el lápiz de la esperanza
dibuje sonrisas
en las caras de tus grandes

Las verdades que te cuento
te quedan chicas
me pregunto
¿Cuántas mentiras te regalo con cada cuento
de niños que duermen como ositos
mientras tus ojos vagabundos andan
probando lo oscuro de la calle?

Streetwise

Phone rings. You ask
am I your mother?

Child with your needle questions
testing the flesh
you find the bone
hard, feel it suffer
in its prison of joints
Cross a broad lake of blood
in your little sailboat
seeking the wind

You already know
the three bears
Big Daddy
Medium Mom
Little Baby
You search storybook pages
for dreams that will come true
Wait for life's hand
to take hope's pen
and draw smiles
on your adults' faces

The truths I tell you
are too small
I find myself asking
How many lies do we give you with every story
of children sleeping like little bears
while your vagabond eyes wander
testing the darkness of the street?

Escondite

En el closet, el jabón
su olor a una rosa
dobla las sábanas
prometen sueños
cosas nuevas y verdes

Frazada tras frazada promete
envolver el frío en brazos
de lana

La gente de esta casa
siempre sale plana, ordenada
como una hoja
dice la plancha

Sí. Es verdad. En el closet
todo está bien
Si yo viviera en este closet
si pudiera llevarte allí conmigo
si pudiéramos alumbrar el closet
con nuestro calor seguro...

Pero no caben mis piernas
mi sonrisa
tampoco

La risa se nos escaparía
enfrentaría este amargo mundo
de sillas y vidrios quebrados
sola

son manos, puños
en flor   para defender
                          la alegría

Hideaway

In the closet, the soap
its rosy scent
folding the sheets
that promise dreams
of green, new things

Blanket after blanket's promise
to wrap the cold in arms
of wool

The people in this house
are always smooth and flat
says the steam iron
neat as leaves

Yes. It's true. In the closet
everything's in place.
If I lived in this closet,
if I could get you in here with me,
if we could light the closet
with our sure heat...

But my leg's don't fit
and there's no room
to smile.

Our laughter would escape us
confront this bitter world
of broken chairs and glass
alone

without hands, fists
in flower to defend
                    our joy

No conozco

terremotos
entonces no me asustan

como no me asustaría la muerte
si no hubiera caído protestando a la vida

y la vida no me asustaría tampoco
si no hubiera visto
un león flaco, hambriento

acechando las calles

de Santiago

I've never seen

an earthquake
so they don't scare me

just as death wouldn't scare me
if I hadn't tumbled protesting to life

and life wouldn't scare me either
if I hadn't seen
a lion, thin and starved

stalking the streets

of Santiago

Podríamos morir

en una borrosa rueda de acero
lluvia de piedras
nubarrón de gases lacrimógenos

Podríamos morir
en un chorro de sangre
rabia hirviendo
violación

Podríamos morir

pero ahora

vivimos en las llamas de la fogata
un cadenazo chispeante
una explosión
de amor

una vela arde
hijo mío
el vientre es oscuro
el mundo aún más
si no lo alumbras
con un grito

tu canción

We could die

in a blur of steel wheels
rain of stones
teargas cloud

We could die
in a spurt of blood
boiling rage
policeman's rape

We could die

but now

we live in a bonfire blaze
a sparking chain
bomb blasts
and love

a candle burns
my child
the womb is dark
the world is darker
when not lit
by a shout

your song

La Ciudad

Las calles rebosan
Los parques se inundan de holgazanes
sus uniformes escolares   una mancha de tinta
en las páginas del pasto
pateando pelotas entre los árboles
abrazándose en los bancos   los hombres escondidos
en los besos de mujeres   vistos sólo por
los envidiosos   Un niño salta desde
un bus en vuelo   y se tropieza   la cajita de chocolates
equilibrada en su palma   casi se derrumba
el peugeot detrás   casi lo mata
lo condena con un golpe afilado a la
bocina y sigue su carrera   Sin desanimarse
el niño harapiento hace señas al próximo
bus lleno de clientes

En la escuela las voces de nuestros hijos
dan pasos de ganso alrededor del himno nacional

En esa esquina cuatro hombres de metralla
empujan el parque, el torcido río y los
niños, al muchacho andrajoso, sus clientes y
los chocolates
hacia un auto del ocaso

Las noticias estremecen Santiago
martillando como sangre en 4 millones
de pares de oídos

Los hombres de negocios se agitan, tomando su expresso con
strudel cremoso, los pobladores apenas tragan su té con
pan seco, los niños olvidan, sus padres no les recuerdan
Abogados apurados presentan recursos en la corte
Monjas se sientan en la calle, sacerdotes se levantan

The City

Streets teem
Parks are overwhelmed by truant
children, their blue school uniforms
an inky spill on grassy pages
kicking balls around trees
hugging on park benches   men hidden
in women's kisses seen only by
the envious   a child leaps from a
bus in flight   and stumbles   the box
balanced on his palm   almost topples
the peugeot behind   almost hits him
condemns him with a sharp blow to the
horn and races on   Undaunted
the tattered boy flags the next bus
full of clients   Singing
"chocolate-eh! chocolat-eh! chocolat-eh!
uno en diez! tres en veinte cinco pesos!"

In school our children's voices
goose-step around the national anthem

On that corner four machine gun men
push the park, the twisted river and the
children, the tattered boy, his clients and
the chocolates
into a sunset car

Santiago shudders at the noticias
pounding like blood in four million
pairs of ears

The businessmen chatter anxiously over the expresso
with creamy strudel, the pobladores
can hardly swallow their tea with bread
Children forget, their parents don't remind them
Lawyers rush to file recursos in the courtrooms
Nuns sit down on the streets, priests raise their hands

Compañeros hacen llamadas urgentes, el gobierno hace
declaraciones, la policía lo niega todo, un helicóptero
llevando a Dios
parte al infierno

El toque de queda deja caer su carga de oscuridad
Santiago mira fijamente las pesadillas
Un grito explota en un terreno vacío   Canciones yacen
desmembradas en el pasto
El amanecer levanta las cortinas y brilla atrevidamente
en la funeraria, mangas empujadas hacia arriba y
arrugadas, palmas secas rozándose

Sábado lucha por existir pero
nadie le hace caso, las radios sollozan y
suspiran, pero los amantes se despiden el
cielo es un azul profundo e infinito pero nadie
quiere la eternidad hoy día

A las 7:15 la ciudad manchada de crepúsculo
abraza más fuerte a sus niños, las madres
se convierten en viudas, los padres
dicen adiós y se hunden
en la memoria, los niños despiertan
espantados por sus propias muertes

Santiago ha entrado a la morgue
con la etiqueta NN

dos hombres fueron secuestrados
tres muertes han sido anunciadas

Compañeros make urgent phonecalls, the government makes
announcements, the police make denials, a helicopter
     carrying God
leaves for hell

Curfew drops its load of darkness on the city
Santiago stares blindly into nightmares
A cry explodes in an empty field   Songs lie
dismembered on the grass
Sunrise lifts the curtains and shines boldly
into the funeral parlour, shirtsleeves up and
wrinkled, dry palms rub together

Saturday struggles into existence but
nobody pays attention, radios bleat and
sigh, but lovers take their leave, the
sky is a deep endless blue, but no one
wants eternity today

At 7:15 the twilight stained city holds its
children a little more tightly, mothers become
widows, fathers wave see you later and
sink into memory, children start up
frightened by their own deaths

Santiago has entered the morgue
labelled "NN"

two men were kidnapped
three deaths have been announced

---

* NN *(pronounced en-eh, en-eh) are the initials used to designate un uniden-
tified corpse.*

Indice   Index

TITLES FROM CORMORANT BOOKS

1. *Slow Mist*, a first collection of witty, engaging poems by Vincenzo Albanese.

2. *I Didn't Notice the Mountain Growing Dark*, poems of T'ang dynasty poets Li Pai and Tu Fu, translated by Gary Geddes and George Liang.

3. *Exile Home / Exilio en la patria*, a first book of poems in Spanish and English by Canadian poet and journalist, Lake Sagaris, who lives with her Chilean husband and child in Santiago.

4. *The Bones of Their Occasion: Poems New and Selected*, a much-awaited gathering by Jerry Rush of Regina.

   (forthcoming)

5. *In Particular*, poems by Cid Corman, well-known American poet and editor of *Origin*, who lives in Japan.

6. *Tears of Chinese Immigrants*, a novel by Yuen Chung Yip (Charlie Jang) of Lethbridge, translated by S.T. Chang.

7. An anthology of Canadian poems about Latin America.

8. A new collection by Stephen Hume of Edmonton, author of *Signs Against An Empty Sky*.

All of the above titles should be available through your favourite bookstore, or can be ordered directly from Cormorant Books, RR 1, Dunvegan, Ontario, K0C 1J0.